だれでも　安全であること

ホームドアが　あれば
目の見えない人でも　安全です

もしもの時に　そなえて

非常ベルは
すぐ　さがせるように
とても　めだちます

ゆとりのある　改札口

改札が　広いと
車いすや　ベビーカーでも　通れます

きのうの　じゅぎょうは
ハンディキャップと
ユニバーサルデザインに
ついて　でした。

ぼくと 目の見えない 内田さん が であったはなし

赤木かん子:著

濱口瑛士:絵

「この杖は　白杖（はくじょう）といって

目の見えない人が　つかいます。

歩くときに　安全を　たしかめたり

自分が　目が見えない　ということを

まわりの人に　知らせることが　できます」

先生は　その他にも

点字 (てんじ) という
目の見えない人が
つかう　文字のことや

ぼく

シャンプーと　リンスには
さわるだけで
ちがいが　わかるように
しるしが　ついていること

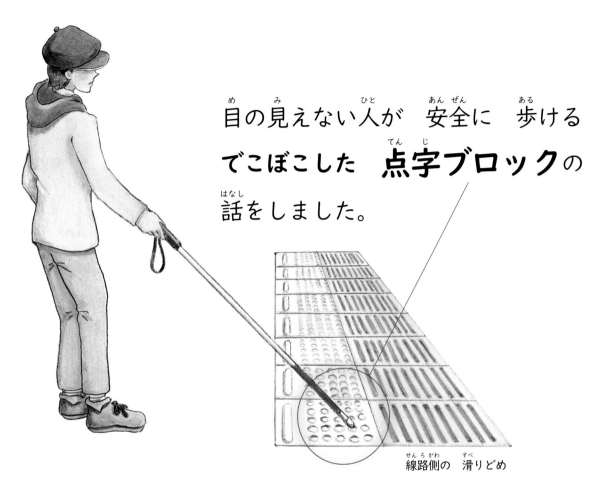

目の見えない人が　安全に　歩ける
でこぼこした　点字ブロックの
話をしました。

線路側の　滑りどめ

誘導ブロック
（線の向きに　すすめ）

警告ブロック
（注意／とまれ）

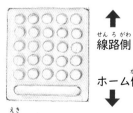

線路側

ホーム側

駅のホームの
点字ブロック

先生は

ユニバーサルデザイン について
レポートを　書いてください
と　言って
　　さいごに

「みなさん
　目の見えない人に　会ったときには
　お手つだい　しましょう」

と　言いました。

ぼくは　そのあと　ずっと　白杖や
点字ブロックのことを　考えました。

7

次の日　ぼくが　学校の帰りに　自動販売機で
ジュースを　買おうとしたら
白杖を持った人が　いました。

どうしよう
なんか　手つだったほうが　いいのかな。
でも　なんて言えば　いいんだろう？

ぼくが　どきどきしながら
オレンジジュースを　買うと
「ガコン」と　音がして
ジュースが　出てきました。

　　そうしたら

「すみません」
　　と　その人が　ぼくに　言ったのです。

「はい　なんですか？」

「コーヒーを　飲みたいんですけど
　どんな　しゅるいがあるか　教えて　もらえますか？」

「ええと……　ブラックと　微糖と　カフェオレ……　があります」

「つめたい　微糖は　ありますか？」

「あります」

「いくらですか？」

「140 円です」

「じゃあ　もうしわけないけれど
　お金を　入れて　そのボタンを
　おしてくれませんか？」

と　言って　その人は　100 円玉を
2まい　ぼくに　わたしました。

ぼくは　お金を　入れて
微糖の　ボタンを　おしました。
「ガコン」と　音がすると
その人は　コーヒーと　おつりを取り
白杖をつかって　ベンチに　すわりました。

内田さん

「コーヒーだ」
缶を　あけて　一口飲むと
その人は　とても　まんぞくそうに
言いました。

「ぼくは　内田と　言います」
と　その人は　ぼくに
手を　出しました。

ぼく
(佐藤)

「佐藤です　高校生です」
　と　あくしゅして
　ぼくも　となりに　すわりました。

「ありがとうね。
　いつも　こまるんだよ。
　自動販売機には　点字が
　ついていないからさ。
　なにが　どこにあるのか
　わからないんだよね」

11

「ちょっと聞(き)いていいですか？」

「いいよ。
なんでも」
と　内田(うちだ)さんは　言(い)いました。

12

「きのう　学校の先生が　白杖の話を　してくれて ……」

「へーっ」

「こまっていたら　お手つだいしなさい
　と　言われたんですが……」

「どういうときに　手つだえば　いいんですか？
　なんて言えば　いいですか？」

「そうだねえ……」
　　　と　内田さんは　コーヒーを　飲みながら
　少し　考えていました。

「まず　大切なのは
その人が　こまってるかどうか
『見る』
　じゃないかな」

「こまってる？」

「そう。
　こまっていないなら
　なにも　しなくて
　いいでしょう？」

ぼくは　なるほど
と　思いました。

「でも　もし　こまっていそうなら
声を　かけてもらえると　すごくうれしい」

「たとえば　交差点で　まよっている人が　いたら
声を　かけてほしいな。
歩いているうちに　横断歩道から
はみ出してしまうと　あぶないから」

ぼくは　ノートを　出して
内田さんの　言ったことを　書きました。

「でも…… 知らない人に
なんて 言えば いいですか？」

ぼくが きくと 内田さんは

『なにか おこまりですか？』
『どちらに 行かれますか？』

この 2つを 言えば
だいじょうぶ」

と 教えてくれました。

なにか　おこまりですか？
どちらに　行かれますか？

よし！　おぼえたぞ！

「そして　もしも　手つだうことに
なったときは

『どうすればいいですか？』

と　きいてください。
どうやって　あんないを
されたいかは
人によって　ちがうから」

「あと　あんないを　するときは
その人に　けがを　させないように
気をつけてね」

「そうそう……
音がしないものも　こまるね」

と　内田さんは　つづけました。

「たとえば　点字ブロックの上に　人がいたら
話し声が　聞こえるから
気がつくでしょう？
でも　音がしないものには
　　　　　　　ぶつかってしまう……」

「だから　点字ブロックの　上に
なにか　おいてあったら
どけて　ほしいんだ」

「ほかにも
むねとか　頭の　高さにある
ものも　ぶつかるね。
　　大けがを　するかもしれない」

「それから　道に　あなが
あいているのも
　　わからないから　こわい」

マンホール

「音が　しないものは
すごく　あぶないんだ」
　と　内田さんは　しんけんな　顔で　言いました。

「それと　こまるのは　トイレかなぁ……」
と　内田さんは　言いました。

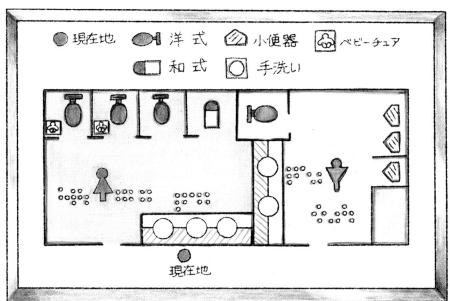

「トイレの　**なかが　どうなっているのか**
わかりにくい……

さわって　わかる地図を　おいている
ところもあるけど
まず　その地図を　見つけられない……」

「で　個室に　入ったあとも　たいへんなんだ。

どこを　さわったら　水が出るか
トイレによって　ちがうから　わからない。

この前なんか　水を　流そうと思って
ボタンを　おしたら　非常ベルが　なっちゃってさ……」

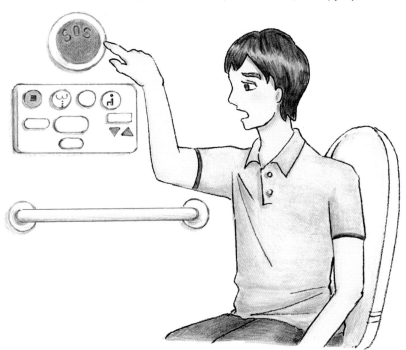

23

「エスカレーターも　こまるんだ」

　と　内田さんは　言いました。

「たいてい　上りと　下りが　ならんでいるけど
　どっちがどっちか　わからない……」

　だから　白杖を　持った人が
　エスカレーターの前で　こまっていたら

『どちらに　行かれますか？』

　と　声をかけて　もらえると
　うれしいね……」

「そっかぁ～。

いろいろ　たいへんなんだなぁ。

でも　目が見えない人って

どうやって　道が

わかるんですか？」

「まずは音かな。でも、においや　風でも　わかるよ」

ええっ？　においや風で？

「うちに帰る　とちゅうの　曲がり角に
お肉屋さんが　あって
いつも　そこで
コロッケを　あげてるんだ。
すごく　いいにおいが　するから

**いつも　そのにおいが　したら
道を　曲がる。**

でも、その　お肉屋さんが
休みの日に
うっかり　行きすぎちゃったことが　あったよ」

「あとは　風の流れで
道を　おぼえているから

ガソリンスタンドだったところが
ビルに　なっていて
風の　向きが
変わっちゃったもんで
まいごに　なったことがある」

そのあと　内田さんは

音を　聞けば

前にある　かべが　自分から

どのくらい　遠いかや

木なのか　板なのか

コンクリートなのかも

わかる

と　言いました。

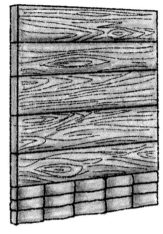

ええ〜っ？
すごーい！

「でも　最近　年を取って……」
と　内田さんは
笑いながら　いいました。

「だいぶ　わからなくなったよ。
年を取ると　いろんな　感覚が
鈍く　なるんだね。

だから

お年寄りで
白杖を　持ってる人が　いたら
困っていることが　おおいから
声をかけて　あげて」

「あと　ぼくたちが　できることって　ありますか？」

「そうだねぇ」
　　と　内田さんは　少し　考えました。

「一番　大切なことは
目が見えない人を
『かわいそうだ』と
思わない　ってことかな」

「目が　見える人も　こまったときは　助け合うでしょう？」

『あの人は　目が見えなくて　かわいそうだから　助けて　あげましょう』

というのは　相手を　きずつけるよ」

　　と……

本当にそうだ　と　ぼくは思いました。

ぼくも『かわいそうに』と
言われるのは　とてもいやです。

　　内田さんは　そのあと
「ぼくは　鍼灸師なんだ。診療所に　遊びにくる？」

　　と　言ってくれました。

遊びに　行ったら
ものすごく　たくさん　トロフィーと
メダルが　ならんでいました。
それは　内田さんのものと
内田さんが　治療した
選手のものでした。

内田さんは　なんと

**パラスポーツの
メダリストでした。**

内田さんは　ぜんぜん『かわいそう』
じゃなく

…！

めっちゃ　すごい人でした。

これで　ぼくの
ユニバーサルデザインに
ついての　レポートを
終わります。

この本でモデルになった「内田さん」にインタビューをしました。

内田 勝久 プロフィール

1968年9月15日、長崎県生まれ。鍼治療院『内田治療院』の院長で、視覚障害T11クラスのパラアスリートでもある。走高跳では、IBSA世界選手権大会にて、2007年と2011年に銅メダルを獲得。2015年にジャパンパラ陸上競技大会で、現アジア記録である141cmを跳んだ。

◆内田さんの子ども時代や、学生時代について教えてください。

長崎県で子どものころを過ごしました。父と母、兄、弟、私の5人家族で、全員に生まれつきの視覚障害があります。人一倍好奇心が強く、ダメだと言われても何でもして、親からよく怒られました。近所の友達が、みんなボールの位置を声で教えてくれるので、毎日一緒に野球をして遊んでいました。

その後、長崎県立盲学校を卒業して、21歳のときに東洋医学技術研修センターに通うため、東京都へ来ました。それまで少しだけ目が見えていましたが、そのころには見えなくなりました。赤木かん子先生と出会ったのもこのころです。

◆スポーツを始めたきっかけはなんですか？

北区十条にある東京都障害者総合スポーツセンターへ、仲間とよく体を動かしに行っていました。そこには障害者専用の陸上のトラックがあり、たくさんのパラアスリートも練習をしていて、自然と知り合

元陸上選手でロンドンオリンピック800m日本代表の横田真人さん（左）と

いになるうちに、競技に誘われました。

◆アスリートである「内田さん」について教えてください。

私は走高跳の、全盲のクラスのアスリートです。IBSA世界選手権の、2007年ブラジル大会と、2011年トルコ大会で、銅メダルを獲りました。

走高跳のバーを跳び越える内田さん

でもその後、金メダルを目指して出場した、世界選手権2015年ソウル大会では、4位となりメダルが取れず、引退のことも考えました。引退試合と決めた、その年の秋のジャパンパラ陸上競技大会のとき、いつも跳んでいる130cmを跳んだあと、最後だからチャレンジしようと思って、本番で急に11cmもバーを上げてみたんです。そしたら跳べて、なんと22年ぶりの自己ベストを更新！ その141cmという高さが、アジア記録にもなりました（2021年現在も、その記録は破られていません）。そのまま完全にやめどきを見失ってしまい、今も現役を続けています。

◆印象に残る思い出を教えてください。

私にとって初めて出場した世界大会は、1994年のIPC陸上競技世界選手権ベルリン大会でした。その同じスタジアムで、2009年に世界陸上ベルリン大会があり、私が治療している選手が出場

したため、今度は鍼灸師として、ベルリンへ行きました。そこで同じ陸上競技のウサイン・ボルト選手が、100mの世界記録を出すところを、家族みんなで見ることができたんです。思い出の場所で見られて、印象に残りましたね。

◆今度は、鍼灸師としての「内田さん」について教えてください。
　鍼灸の学校を出たあと、最初に勤めたのは大手アパレル会社です。選手をしながら、社員の健康も診ていました。その後走高跳の練習時間を増やしたい気持ちと、故障に悩むたくさんのアスリートの治療をできたらと思い、会社をやめて、自分の治療院を開きました。今もそこで院長をしています。

◆この仕事のやりがいはなんですか？
　自分が治療した選手が、メダルを獲ったり、良い記録を出してくれたりするとうれしいですね。うちには地元の方も来ますが、自分がアスリートなこともあり、アスリートのお客様が多いです。だれでも知っているような超有名選手に、仕事のおかげで会えたこともあるんですよ。かなり傷めてから、駆け込んでくることも多いです。

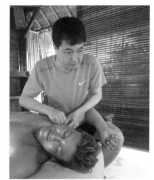
治療をする内田さん。
お客様はなんと元プロ野球選手の
新庄剛志さん！

◆現在の暮らしや、趣味について教えてください。
　結婚していて、妻と今年20歳になる男女の双子がいます。スポーツ以外にも音楽が好きで、実はロックバンドでエレキギターを弾いていました（奥様ともバンド活動を通じて出会ったそうです）。子ど

ものころから、「障害があるから無理だろう」とは言われなかったので、色々なことにチャレンジしています。バンドをがんばった経験があったから、スポーツもがんばってみようと思えたし、メダルを獲ったりもできたんだと思います。

◆この本は街の歩き方がテーマですが、内田さんがひやっとした経験はありますか？
　交差点なんかで　自転車が歩いている人を横切るときって、いつも急に前を横切りますよね。あれが怖いです。後ろを横切ってくれれば怖くもないし　事故も起きようがないと思いますね。あとはスマホを見ている人が、正面からぶつかってくることが増えました。

◆最後にこの本を通じて、読者の人に伝えたいことを教えてください。
　本文にもありますが、やっぱり「困っている人がいたら　声をかけて欲しい」ですね。目の見えない人にも色々いるので、もしかしたら冷たくされることや、怒られることもあるかもしれないけれど、それにめげずに、また声をかけてみて欲しいです。

内田さん、ありがとうございました！

内田治療院の紹介
オリンピック選手、プロアスリート、市民ランナーをはじめ、スポーツ以外の一般の方々まで、幅広い方にご利用いただいている鍼治療院です。
〒114-0031　東京都北区十条仲原1-8-26　清水ビル2F
http://uchidachiryoin.weebly.com/

ご家族や学校の先生とお読みください

著者：赤木かん子「この本をつくってみて」

著者プロフィール 児童文学評論家。学校図書館の改装、調べ学習の授業から最近は科学の絵本、LLブック、UD（ユニバーサルデザイン）ブックを制作中……。

私がこういう本を作りたい！と初めて思ったのはもう50年ほど前、私が小学生のときです。

その頃はいまほど車椅子のかたも目の見えないかたも街で見かけなかったし、学校も別だし、学校でも、もし会ったらどうすればいいか、なんて授業はありませんでした。

子どもだった私はそういうときどうすればいいか教えてくれる本が欲しい、と思い、探したのですが見つからなかったので、それならいつか自分で作ろう、と思いました。

私が目の見えない内田くんと会ったのがいつだったのか、どういういきさつだったのか、いま思い出してみてもまるっきりなんにも思い出せないのですが、おそらく初めて会ったとき、内田くんはまだ20歳くらいだった気がします。

その頃私の家はティーンエイジャーが何人もごろごろしているような場所だったので、遊びにおいでよといったらうちに来て、そのまま1週間くらい、いたのじゃないでしょうか。

目が見えない人と知り合いになったのは初めてのことでしたが、あっという間にそんなことは忘れていました。

内田くんは自分のことは何でもできたし、困ることは（お味噌汁、どこ？おかずはなにがあるの？みたいに）自分でとっとと聞いてくるので、聞かれたことに答えていさえすればなんの問題もなかったからです。

それどころか、一緒に歩いていると「かん子さ〜ん、後ろから自転車が2台くるから気をつけて〜」といわれるくらい、前しか見えないぼんやりの私より、360度目がある盲人なのでした。

もっとも内田くんは内田くんで、目が見えない僕を駅まで迎えに来てくれなかったのは、かん子さんが初めてだった、とあとで言っていました。

私はこれまたまるっきり覚えていないのですが、道順だけ電話で説明して、じゃね！で切られたのだとか……。

それは悪かった、といったら、いや、気持ちよかった！といってました（笑）。

あれだけ豪快に対等に接してもらったのは初めてだったと……。

いや、それは、単に私が気が利かないだけ、なんですけどね。

内田くんといると、目が見えない人は本当に、ただ単に目が見えないだけなんだ、ということがよくわかりました。

その内田くんと知り合ってからも、もう30年近くたつわけですが、そのあいだもどこかでぼんやり、この本のことは考えていました。

そうして、そうだ、内田くんに主人公の1人になってもらえばいいじゃん!?

というアイデアがある日いきなり浮上してきて、この本の文章はあっという間にできあがったのです。

よく、1冊の本を作るのにどのくらいかかるのですか？

と聞かれるのですが、そういうわけで、50年かかったともいえるし、1日でできた、ともいえる、のですね。

知識は力です。
言葉も力です。

子どもは突発的事態に弱いので、普段と違うことが起きるとオタオタしたり、怖さのあまり拒否しちゃったりするのですが、知識や言葉を手に入れてさえいれば"礼儀正しく""落ち着いて""お互い気持ちよく"振る舞うことができ、人を意味なく傷つけなくてすむのです。

内田くんが教えてくれた魔法の言葉を知ってさえいれば……助けが必要な人に会ったら、手を貸すことができるでしょう。

こうして私はようやく、子どものときに欲しかった本を手に入れることができました。

あのときの私に、そういうときには、こう言えばいいんだよ、と言ってやりたい……。

なので、ぜひ、今、目の前にいる子どもたちに1度は読んでやってほしい、と思います。

この魔法の言葉、を知っていれば、みんな、あわてなくてすむのですから。

挿絵：濱口瑛士 プロフィール

東京大学先端科学技術研究センターと日本財団の共同プロジェクト「異才発掘プロジェクトROCKET」第1期スカラー候補生。
3歳頃から絵を描き始める。物語を作ることも得意。絵以外に興味のあるものは、世界史(特にローマ史)民族や宗教問題。尊敬する人物は、ローマ皇帝アウグストゥス、教皇ヨハネパウロ2世。言語IQ133。好きな言葉は「君の覚えた小さな技術をいつくしみ、その中でやすらえ」(マルクス・アウレリウス・アントニヌス帝)
2015年初の作品集「黒板に描けなかった夢〜12歳、学校からはみ出した少年画家の内なる世界」(ブックマン社)を出版。2017年11月、2作目の作品集「書くことと描くこと」(ブックマン社)を出版。2018年10月LLブック「ともだちってどんなひと？」出版(埼玉福祉会)。同年11月、初めての絵本「ダビッコラと宇宙へ」(白泉社)を出版。2019年7-9月、岡山県の勝央美術文学館にて『濱口瑛士の世界〜少年画家の内なる宇宙〜』開催。
2019年8月、北海道帯広にて『第3回 濱口瑛士絵画展』を開催。

挿絵を描いてみて

　私はこの絵本を描き、今まで接点の少なかった視覚障害者の世界の一端を知ることになりました。その過程で内田さんと知り合い、今まで私が持っていた目の見えない方への認識はすぐに崩壊したのです。彼は驚くほど活動的で、街を颯爽と歩き、私を案内してくれました。この本の絵はそうした驚きの経験をもとに描かれたものです。この本はある意味、未知の世界への手引書であり、多くの隣人と知り合う機会を与えてくれるものです。視覚障害者の持つ我々の見ることのできない"眼差し"を知ることは、この社会の皆にとって有益なことです。それは私たちの視点の欠落で意識できなかった意外な発見や、自由で開かれた社会を築く助けになるはずです。堅苦しい義務としてや慈善活動の一環としてではなく、対等な個人同士として付き合うことで、私たちは多くの気づきを得られるのです。個人的経験から言えば、人に声をかけるということは、呼びかける側からすればなかなか不安なものですが、かけられた側は嬉しい気持ちになるものです。一歩踏み出した先には豊かな新天地が広がっています。

桃の木
©EISHI HAMAGUCHI

未来を描く
©EISHI HAMAGUCHI

東京視覚障害者生活支援センター　所長

監修：長岡 雄一 様 のことば

　日本には、視覚障害のある方が31万人いると言われています。人口400人に1人くらいの割合になります。皆さんの身近にはいらっしゃいますか？そうです。この割合ですと、身近にそうした方を見つけることはむずかしいかもしれません。ということは、視覚障害のある方の日常を知ることもむずかしいということになります。
　この本では、視覚障害のある方が、どんな生活を送っているのかの、ごく一部を紹介しています。ここで皆さんに必要なのは、「想像力」です。「こんなことに困っているんだ」「こんなことはできるんだ」ということを、想像してみて下さい。そこから、どんな時にお手伝いが必要になるのかも少しずつ分かっていくと思います。
　むずかしいことかもしれませんが、ぜひとも挑戦してみてください。

ぼくと 目の見えない 内田さんが であったはなし

2021 年 4 月 30 日　初版第 1 刷発行

■ 著者

赤木 かん子（児童文学評論家）

■ 絵

濱口 瑛士

■ 監修

長岡 雄一
（東京視覚障害者生活支援センター所長）

■ デザイン・製版

永田 修

■ 発行者　並木 則康

■ 発行所　社会福祉法人 埼玉福祉会 出版部

〒 352-0023　埼玉県新座市堀ノ内 3-7-31

Tel. 048-481-2188　Fax. 048-481-0752　shohin@saifuku.com

■ 印刷・製本　株式会社 ユー・エイド

さいごに

障害がない人が　みんな

スポーツが　とくいなわけでは　ありません。

とくいな人も　いるし

にがてな人も　いるでしょう？

おなじように

障害がある人が　みんな

スポーツが　とくいなわけでは　ありません。

とくいな人も　いるし

にがてな人も　います。

おなじです。

赤木 かん子

この本のように、やさしく読みやすい表現をつかって書かれた本のことを、ＬＬブックといいます。一般的な表現だけでは内容を理解することが難しい、知的障害や身体障害の方、やさしい日本語の方が理解しやすい方などを対象にしています。

ＬＬブックの既刊や バリアフリー用品は
サイフクホームページへ！

https://www.saifuku.com/

LLブック　検索

内田さんの便利な道具

小さい棒が

いっしゅんで

１本の　杖になる

白杖　カッコいい

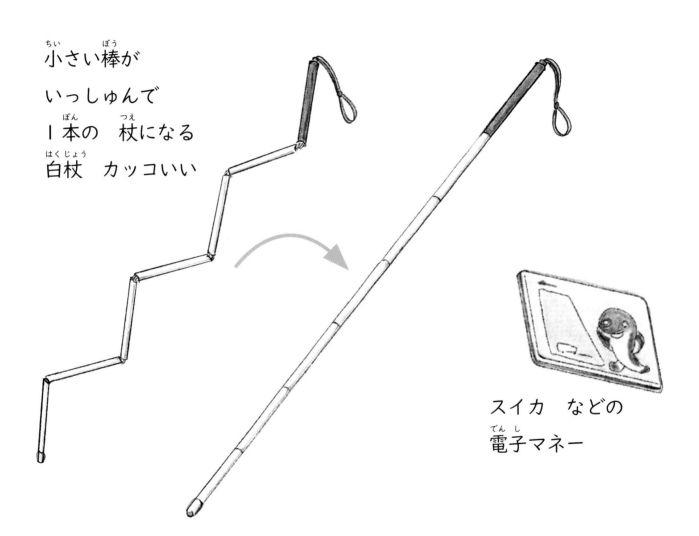

スイカ　などの
電子マネー